D'après l'œuvre originale « Winnie the Pooh » de A. A. Milne et E. H. Shepard
Hachette Collections
43, quai de Grenelle
75905 Paris Cedex 15
ISBN collection : 978-2-84634-054-0
ISBN ouvrage : 978-2-84634-107-3
Loi n° 49 956 du 16.7.1949 sur les publications destinées à la jeunesse
Achevé d'imprimer : juillet 2012
Imprimé par Tien Wah Press en Malaisie
Dépôt légal : janvier 2001

Pour l'éditeur, le principe est d'utiliser des papiers composés de fibres naturelles, renouvelables, recyclables et fabriquées à partir de bois issus de forêts qui adoptent un système d'aménagement durable.

En outre, l'éditeur attend de ses fournisseurs de papier qu'ils s'inscrivent dans une démarche de certification environnementale reconnue.

Disney

Winnie l'Ourson
et l'arbre à miel

hachette

Par un beau matin d'été, dans sa petite maison
au cœur de la forêt des Rêves Bleus, Winnie l'Ourson
fait de la gymnastique.
Pff, c'est dur ! Il tire, tire sur ses bras et touche le bout
de ses pieds une… deux… trois fois !
« Il faut que je pense à faire ça au moins une fois
par semaine, si je ne veux pas grossir »
se dit le gros petit ours.

« Hmm, tous ces exercices m’ont donné faim ! »
Il court vers le placard à miel, attrape le dernier pot,
ouvre grand la bouche… mais rien…
pas une goutte de miel : le pot est vide, nettoyé !
Et Winnie reste là, tout dépité.

Mais… qui fait bzzz à la fenêtre ?
C'est une abeille, et les abeilles ne font-elles pas du miel ?
Avec un grand sourire, Winnie sort en courant et se met
à suivre l'abeille à travers la forêt des Rêves Bleus.

Il la suit au plus profond
de la forêt des Rêves Bleus,
jusqu'à un arbre creux.
Et l'abeille disparaît
dans un trou, tout en haut
de l'arbre.

Ni une, ni deux,
Winnie, qui sent déjà
le goût du miel,
se lance à l'assaut
de l'arbre…

… jusqu'à une branche,
juste à côté du trou.
On n'a jamais vu un ours
s'inquiéter de quelques
abeilles…

… Mais, là, c'est
tout un essaim qui fonce
droit sur Winnie…
… lequel perd l'équilibre…

… et tombe la tête la première
dans un buisson au pied de l'arbre,
« Aïe, ma tête, s'écrie-t-il.
Je vois des étoiles en plein jour ! »

Juste à ce moment lui parvient une voix joyeuse.
C'est Jean-Christophe, son ami.
– Winnie, regarde mon nouveau ballon !
– Oh, qu'il est beau ! dit Winnie.
Tu me le prêtes une minute ?
Car notre ourson malin a un plan.
D'abord, il se roule dans une flaque de boue…

… et puis, sous les yeux
stupéfaits de Jean-Christophe,
il s'envole, accroché au ballon,
jusqu'à la ruche.
« Avec ce camouflage,
les abeilles croiront que
je suis un petit nuage
tout noir de pluie »,
se dit Winnie avec entrain.

Il réussit à ramasser une pleine
poignée de beau miel doré.
Mais les abeilles furieuses tournent
autour de lui en bourdonnant.
« Elles n'ont pas l'air de croire que
je suis un petit nuage de pluie,
finalement » s'inquiète Winnie,
agrippé d'une main à son ballon
et s'efforçant de chasser
les abeilles de l'autre.

Mais soudain pfffffuiiiittt !
voilà que le ballon
se dégonfle !

« Oh mince ! » s'écrie Winnie, consterné, tandis que le ballon fait de folles cabrioles dans le ciel avant de partir comme une fusée en emportant un ourson pas très fier !

Heureusement pour Winnie, quand il n’y a plus
du tout d’air dans le ballon,
Jean-Christophe est là pour amortir sa chute.
– Merci beaucoup, dit Winnie.
– Ouuch ! répond simplement son ami, sous le choc.

Puis Jean-Christophe rentrez chez lui et Winnie reste là à réfléchir.
« Ooh que j'ai faim ! J'ai trop faim ! Peut-être que mon ami Coco Lapin a du miel ? »
L'instant d'après, il est devant le terrier de Coco Lapin.
– J'arrive à temps pour déjeuner ? demande-t-il quand la porte s'ouvre.
– Bien sûr, Winnie, entre donc, répond Coco Lapin, pas plus ravi que ça.

– Alors, Winnie, qu'est-ce qui te ferait plaisir demande Coco Lapin, qui connaît d'avance la réponse.

– Ben… pourquoi pas des tartines de miel ? suggère Winnie d'un air engageant… Mais sans le pain !

En un clin d'œil, Winnie a englouti tout le miel à la ronde.
– Ça ira ?… demande Coco Lapin,
en fixant d'un œil noir l'ourson glouton.
Tu es sûr que tu n'en veux plus ?
– Oh non ! dit Winnie… À moins que… Il y en a encore ?
– Plus une goutte, répond Coco Lapin précipitamment.

– Bon, alors je vais peut-être rentrer, dit Winnie en frottant son gros petit ventre tendu comme un tambour. Merci pour la dînette, Coco Lapin !

Mais quand il va pour sortir du terrier, Winnie reste coincé par le milieu, la tête dehors, les pieds dedans.

Et il essaie de sortir, et il essaie de rentrer, mais il a beau se tortiller, il est coincé !

Malgré tous ses efforts, Winnie n’arrive pas à s’extirper de là, ni dans un sens ni dans l’autre.
– Arrête ce cirque, Winnie, dit Coco Lapin. Je ne t’ai pas invité à passer la nuit !
– C’est ta porte ! répond la voix de Winnie de l’extérieur. Elle a rétréci pendant qu’on déjeunait !

– N’importe quoi ! crie Coco Lapin, très fâché.
Tu as trop mangé, c’est tout.
Et il sort en courant par la porte de derrière
pour aller tirer Winnie par les bras.
Mais l’ourson est coincé et bien coincé.
– Attends-moi là, dit Coco Lapin. Je vais chercher
Jean-Christophe.

« Comme si j'allais m'en aller ! »
marmonne Winnie en regardant son ami s'éloigner.
Alors il pense au ballon de Jean-Christophe –
comme il a rétréci en perdant son air –
et il se met à souffler de l'air dans l'espoir
de rétrécir. Mais il ne rétrécit pas un brin.

Tiens, voilà Maître Hibou qui vient de se poser.
– Qu'est-ce que tu fais dans la porte de Coco Lapin ? demande-t-il. Tu es coincé ?
– Moi ? Pas du tout, répond Winnie. Je me repose. J'adore la vue qu'on a d'ici.

Mais on ne raconte pas d'histoires à Maître Hibou.
– Taratata, dit-il. Tu es coincé comme… hum… comme un gros ourson dans un trou de lapin. Il va falloir un expert pour te sortir de là !
– Un expert ? s'écrie Grignotin, qui vient de surgir. On veut un expert ? C'est moi, Grignotin, expert en travaux souterrains. À mon avis, il n'y a qu'un seul moyen pour sortir Winnie de là : de la dynamite !

Winnie se recroqueville.
– Es-tu fou ? dit Maître Hibou. De la dynamite ! Mais cela crèverait les oreilles de ce pauvre ourson !
– Bon, bon, d'accord. Si vous changez d'avis, venez me chercher. Moi, j'aime quand ça fait boum !
Là-dessus Coco Lapin revient, accompagné de Jean-Christophe.

– Alors Winnie, vilain patapouf,
ta gourmandise t'a encore joué des tours ?
demande Jean-Christophe en riant.
– Oh, dit Winnie d'une petite voix, je n'ai
pas mangé tant que ça !

Jean-Christophe prend la patte de Winnie et se met à tirer, avec l'aide de Coco Lapin. Mais Winnie ne bouge pas d'un millimètre.

– Bon, eh bien, la seule solution, c'est d'attendre que tu maigrisses, conclut Jean-Christophe.

– S’il vous plaît, sortez-moi de là, supplie Winnie.
J’ai trop faim !
– C’est ce qu’il faut, dit Jean-Christophe.
Plus tu as faim, plus tu maigris !
Et en attendant que ce régime fasse son effet,
Jean-Christophe distrait l’ourson en lui faisant la lecture.
Tandis que Maître Hibou lui fait des cours
sur la gloutonnerie…

… Et que Grand Gourou et Petit Gourou lui apportent un foulard pour protéger sa tête du soleil.
Mais Bourriquet, lui, n'est pas très réconfortant :
– Mon pauvre Winnie, soupire-t-il,
ça va prendre des mois avant
que tu dégonfles assez
pour sortir de là.

Pendant ce temps, dans sa maison, Coco Lapin commence à en avoir assez de voir le derrière de Winnie à la place de sa porte. Alors il décide de le décorer.

D’abord il dessine une tête sur ce gros derrière d’ourson. Puis il y accroche des branches – comme ça, on dirait un élan ! Après quoi, il installe une planche sur les jambes de Winnie, et voilà une belle étagère pour poser des objets !

Coco Lapin est en train d'admirer son œuvre quand tout s'envole et lui retombe dessus ! C'est un papillon, dehors, qui a fait éternuer Winnie en lui chatouillant le nez.

Quelques heures plus tard, tandis que le soleil baisse, Grignotin est de retour. Il s'installe pour bavarder avec Winnie tout en croquant son dîner.
– Ouah ! ça a l'air bon, dit l'ourson affamé.
Je peux en avoir un gros morceau ?
Enfin, plutôt un gros… Ou bien alors, du miel ?

Mais, au moment où Grignotin s'apprête à verser un peu de miel doré dans la bouche de Winnie, Coco Lapin surgit en brandissant un écriteau.

– Arrête, Grignotin ! s'écrie-t-il. Tu ne sais pas lire ? « Interdit de nourrir les ours. » S'il ne maigrit pas, je vais l'avoir là pour le restant de mes jours !

– Eh bien, à ta santé ! réplique Grignotin.

Le lendemain matin, Coco Lapin, encore tout endormi,
s'appuie en bâillant contre le derrière de Winnie.
Et là, il sent l'ourson bouger un peu dans le trou.
« Ma parole, mais on dirait que Winnie
a perdu du poids pendant la nuit ! »

Et il se précipite par la porte de derrière pour aller chercher ses amis.

– Vite, vite, venez ! Vous allez vous mettre tous ensemble pour tirer Winnie, pendant que moi, je le pousse de l'intérieur !

Et ils tirent et ils poussent. Tant et si bien que, soudain, Winnie fuse comme un bouchon…

… et s'envole dans les airs, loin au-dessus de ses amis
et au-dessus des arbres !
« Oh ! là, là ! se dit Winnie. Je dois rêver.
C'est comme quand j'étais à cheval sur le ballon…
Mais, là, je suis à cheval sur quoi ? »

Sur sa trajectoire se dresse un arbre, un arbre trop haut pour que Winnie passe au-dessus. Mais, par chance, il y a un grand trou dans le tronc, et c'est là que Winnie va s'enfoncer la tête la première… en chassant sans le faire exprès tout un essaim d'abeilles.

– Ne t'inquiète pas, Winnie, nous allons te tirer de là tout de suite ! crie Jean-Christophe au pied de l'arbre.

Et de tout là haut lui parvient la voix de Winnie :
– Tout va bien, Jean-Christophe. Rien ne presse ! On a le temps !